迪士尼 **我会自己读** 第**1**级

找彩蛋

童趣出版有限公司编　　人民邮电出版社出版
北　京

缓步出发大步走

儿童阅读的作用和意义，家长们已经达成共识，不再需要热烈讨论。不过，家长们还是有一些普遍困惑，例如，孩子在幼儿园要不要识字？通过什么方式识字？孩子在幼儿园不识字能否应对小学之初的压力？如何处理父母读和自主读的关系？阅读兴趣和语言学习如何兼顾？

这套书正是为了解答上述疑惑而编写的。编写者希望在儿童阅读的纷繁流派中，坚持一些基本观点，探索中国孩子学习阅读的独特途径。这些观点主要如下：一、早期阅读要把阅读兴趣的培养放到最重要的位置来考虑；二、通过这套书让孩子在幼儿园认识 400 个常用字，为小学阶段的学习减轻压力和奠定基础；三、不鼓励父母用识字卡片的方式教孩子识字，把生字放到故事中更有意义；四、在小学三年级的阅读关键期，实现孩子自主阅读；五、幼儿园阶段既鼓励亲子阅读，又鼓励孩子自主阅读。由此，这套书主要有如下特点：

科学性。从选择高频、简单、构词能力强的字先认，到通过各种方式复现，再到故事内容的打磨，最后培养出优秀的阅读者。从分级阅读的角度，综合考虑生字、生词、句子长度、主题深浅等多个因素，编写出难度递增的故事。

趣味性。选择了迪士尼的漫画人物和漫画故事作为主要内容，降低阅读难度，增强阅读趣味。由于有识字的安排，创作故事犹如"戴着镣铐跳舞"，但故事仍然精彩十足，劲道十足。

功能性。把识字放在重要位置，同时兼顾文学性。和时下流行的图画书不同，本套书把学习功能放到重要位置。希望通过有趣的故事，让孩子认识汉字，早日实现自主阅读。

希望通过这套书，帮助孩子在阅读之路上缓缓起步，培养自信，锻炼能力，然后再大步流星，一路前行，成为趣味高雅、兴趣充盈的阅读者！

王林（儿童阅读专家）

一个春天的早上，

维尼 出去玩儿。

堆崔 难准

看到了小，
维尼   蜜蜂
高兴地笑了。

一只，两只，三四只，

五只，六只，七八只，

小小 蜜蜂 爱春天，
蜂蜜 多多我爱吃。

九只 蜜蜂 来，十只 蜜蜂 到。

春天花儿多，蜜蜂 少不了。

 屹耳 看到  维尼 高兴地笑了。

一二三四五，春天花儿好。

六七八九十，我爱吃小草。

 看到 ，高兴地笑了。

小猪　　　　　屹耳

19

一二三四五六七，

、早上好！

维尼　　　　屹耳

七六五四三二一，

花多草多春天到。

找彩蛋

一个春天的早上，

维尼

高高兴兴去找  。

彩蛋

找到一个，

找到两个。

三个，四个，

五个。

啊，我的  呢？！

彩蛋

看！

，我找到了你的 ！

维尼　　　　　　　　　　　　彩蛋

，我找到了你的！

维尼　　　　　　　　　　　　　　　　　　　　彩蛋

，我找到了你的！

维尼　　　　　　　　　　　　　　　　彩蛋

，我找到了你的  ！

维尼   彩蛋

，我找到了你的！

维尼 高兴地笑了。

一二三四五，多又多。

彩蛋

大家一起来，好吃好玩又好看。

大家来到  的家，

瑞比

高高兴兴地吃起 来。

彩蛋

 爱吃 ，  家有好多

维尼　　　　　　　蜂蜜　　　　瑞比

好多 。

蜂蜜

吃啊，吃啊，吃啊……

维尼

小熊维尼学了新本领——说反义词，下面有三组反义词，你能找出来吗？

小熊维尼想要给下面的每个字都找个朋友，你能帮帮他吗？

高　　　　　　　　　　草

好　　　　　　　　　　天

花　　　　　　　　　　吃

春　　　　　　　　　　兴

下面的句子你会读吗?
每读对一句就把它旁边的 ☆ 涂上颜色。

☆ 春天花儿多。　　☆ 好吃好玩又好看。

☆ 大家一起来。　　☆ 吃啊，吃啊，吃啊。

超范围字

ne	qǐ	
呢	起	

yòu	yǒu	a
又	有	啊

一	二	三	四	五	六	七	八
九	十	两	上	下	大	小	多
少	个	花	草	天	地	春	鸟
朋	友	出	去	到	来	看	吃
笑	找	爱	玩	儿	了	只	的
不	高	兴	好	早	我		
你	爸	妈	家				

小熊维尼的故事真好看，我还想看！下面的小书你都看过了吗？
看过了就在书的旁边打个"√"，没有看过的快去看吧！

专家小贴士

　　建议孩子同一级别的书多读几本，提高重点字的复现率，便于孩子强化巩固已认生字。

本册重点字

一	二	三	四	五	六	七	八
九	十	两	上	大	小	多	少
个	花	草	天	地	春	出	去
到	来	看	吃	笑	我	爱	玩
儿	了	只	的	不	高	兴	好
早	我	你	家				

我会自己读

第 **1** 级
荣誉证书

亲爱的_____小朋友：

　　恭喜你自己读完了这两个小故事。你获得了小熊维尼发给你的"我会自己读"第 1 级荣誉证书，你还获得了一颗红星星哟！

我会自己读兴趣小组

_____年___月___日

爸爸妈妈的签名_____